Jet Boeke

Wortel en Peentje

De stoel

Uitgeverij Ploegsma Amsterdam

Meer avonturen van Wortel en Peentje:
Koekjes / Slapen
Een leuk verhaal / Boos
Naar de wc / Te warm

NUR 271/272 / **ISBN** 90 216 1857 5

Omslagontwerp: Petra Gerritsen
Vormgeving: Studio Cursief

Wortel gaat iets maken.
Van een plank en spijkers en verf.
De zaag en de hamer en de verfkwast liggen al klaar.

‘Mag ik meehelpen?’ vraagt Peentje.
Dat mag.
Peentje mag de plank doorzagen.
Langs het lijntje.

De zaag wil niet langs het lijntje.
De zaag wil scheef.
'Ik wil liever met de hamer,' zegt Peentje.

Wortel zaagt de plank door.
Eén keer en nog een keer.
Precies langs de lijntjes.

‘Hier moet een spijker,’ zegt Wortel, ‘en hier.’
De hamer is erg zwaar.
Met twee handen kan Peentje hem nét optillen.
Maar de spijker valt steeds om.

'Jij mag straks verven,' zegt Wortel.
Peentje mag kiezen welke kleur:
rood of geel of blauw of groen.

Peentje wil alle kleuren.
Verven kan hij goed.
Kijk, samen gemaakt!

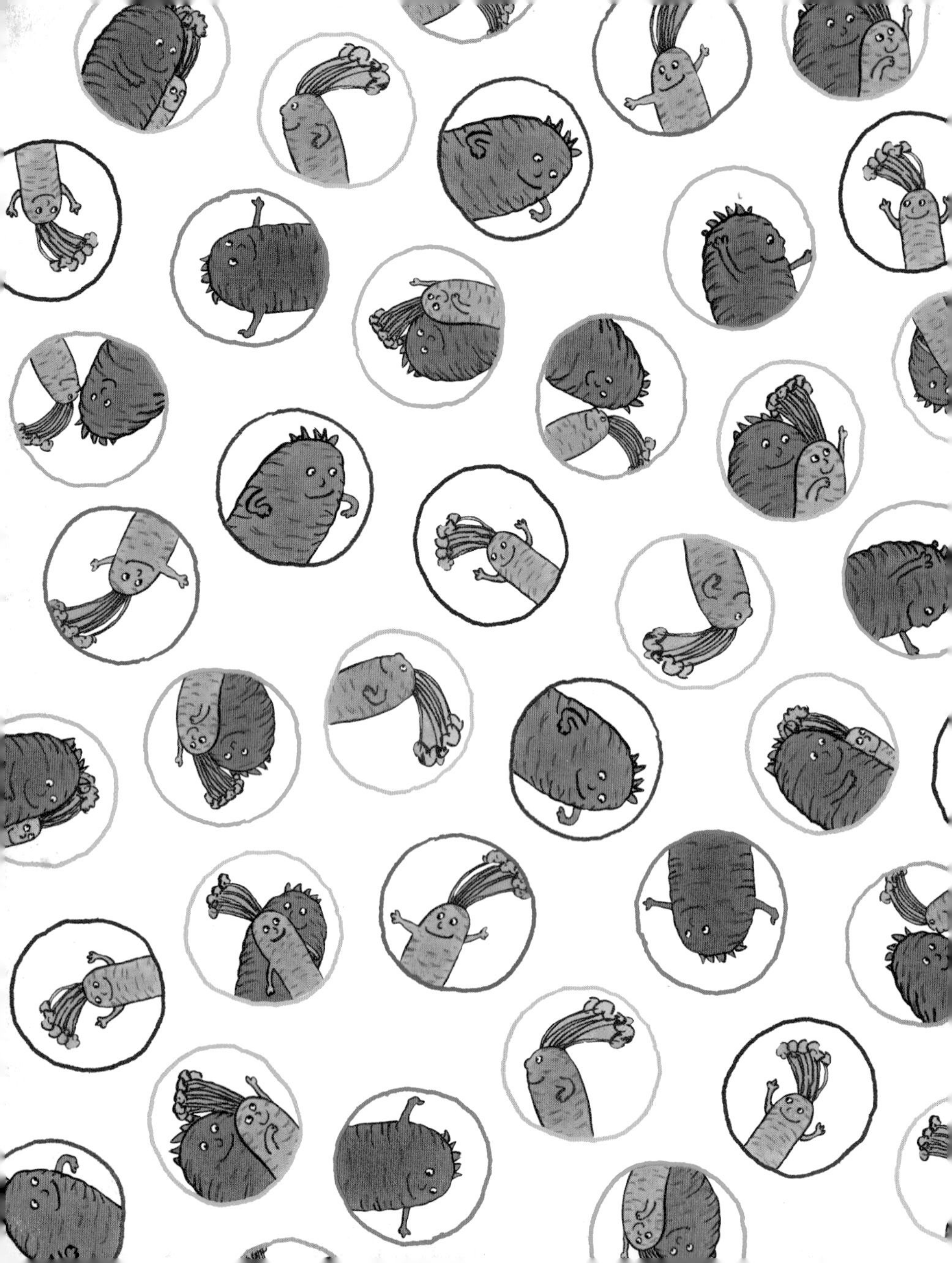

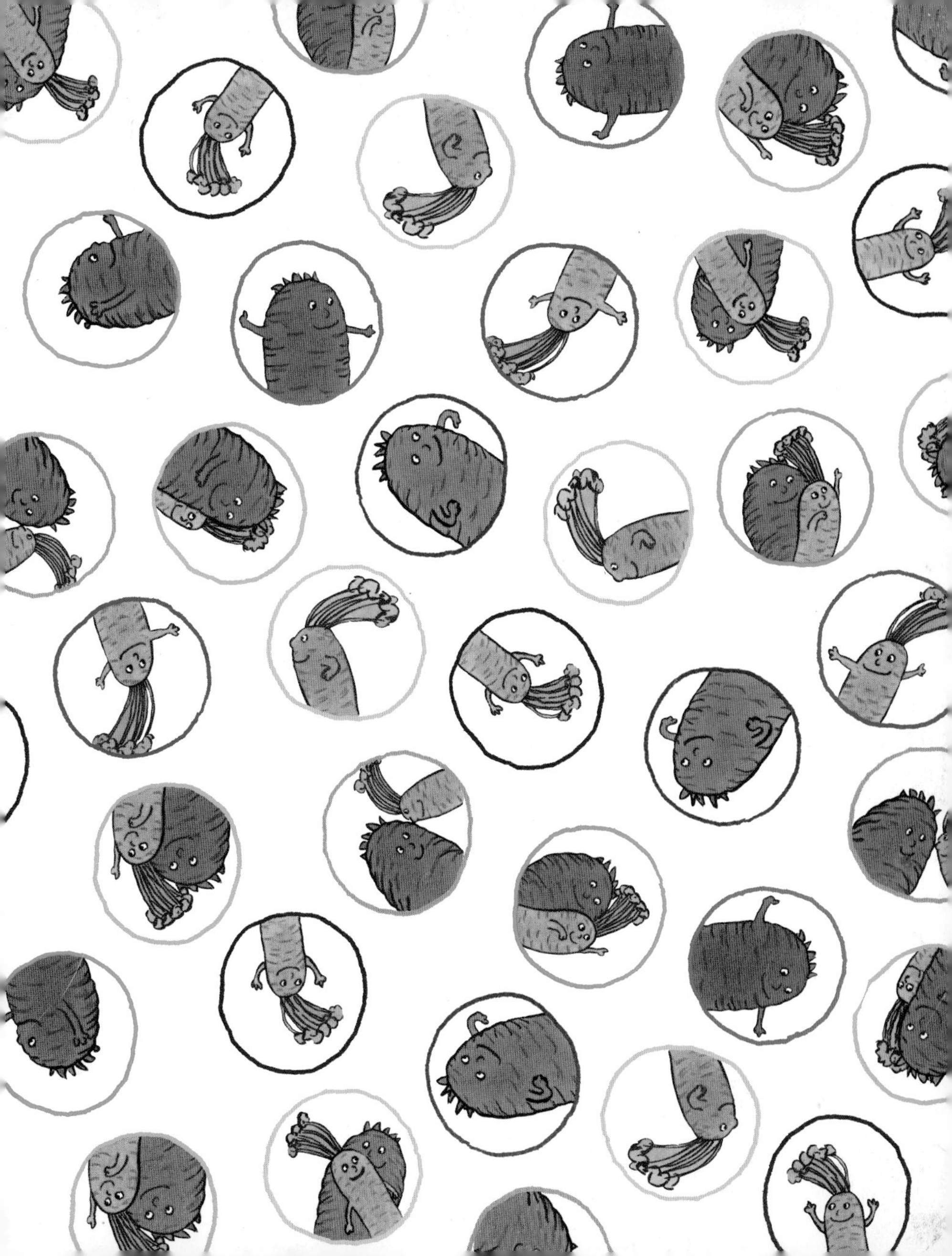

BONK! op de bank, **OEPS**! door het raam en **PLOF**! in het gras.
'Je hebt gevlogen!' juicht Peentje. 'Helemaal naar buiten!
Nog een keertje?'
Maar Wortel wil niet meer vliegen.
Hij vond het **NIET** leuk.

‘Dan spring ik op de bank,’ zegt Wortel. ‘Anders durf ik niet.’
Hij wappert met zijn armen en...
Hij springt!

'Nee,' zegt Peentje, 'ik vlieg. Het is héél leuk!
Kijk, je wappert met je armen en...
Jij kunt het ook, Wortel!
Kom maar op de ladder.'

'Dat zie je toch,' zegt Peentje. 'Ik pak de ladder, ik klim
naar boven en...'
'Ja,' zegt Wortel, 'je springt naar beneden.
En je valt **BOEM** op de grond.'

Wat doet hij nou?
Hij pakt de ladder!
'Ho!' zegt Wortel. 'Wat doe je daar?'

O, nu staat hij op een stoel.
Hij wappert weer met zijn armen en springt van de stoel.
BOEM! op de grond.

Wat is Peentje daar aan het doen?
Dat zie je toch!
Hij rent heen en weer en hij wappert met zijn armen.

Meer avonturen van Wortel en Peentje:
Koekjes / Slapen
Een leuk verhaal / Boos
Naar de wc / Te warm

NUR 271/272 / **ISBN** 90 216 1857 5

Omslagontwerp: Petra Gerritsen
Vormgeving: Studio Cursief

Jet Boeke

Wortel en Peentje

Uitgeverij Ploegsma Amsterdam